Richard Petit

MINI PEUR

LE CHEF DES POUX

Catalogage avant publication de Bibliothèque et Archives nationales
du Québec et Bibliothèque et Archives Canada

Petit, Richard, 1958-, auteur

Le chef des poux / Richard Petit.

(Mini peur)

Public cible : Pour enfants de 7 ans et plus.

ISBN 978-2-89709-234-4

I. Titre.

PS8581.E842C43 2018   jC843'.54   C2018-940359-4
PS9581.E842C43 2018

© 2018 Boomerang éditeur jeunesse inc.

Idée originale de la collection : Richard Petit

Écrit par Richard Petit

Design et illustration de la couverture : Richard Petit
Illustrations intérieures : Sabrina Denault
Conception graphique et mise en pages : Julie Deschênes

Dépôt légal : Bibliothèque et Archives nationales
du Québec, 2e trimestre 2018

ISBN 978-2-89709-234-4

Imprimé au Canada

Gouvernement du Québec – Programme de crédit d'impôt pour
l'édition de livres – Gestion SODEC

Boomerang éditeur jeunesse remercie la SODEC
pour l'aide accordée à son programme éditorial.

Financé par le
gouvernement
du Canada

À tous ceux et celles
qui ont des cheveux.
ATTENTION !
Il est TRÈS RISQUÉ pour
vous de lire ce livre...

Richard

Chapitre 1

Tout allait POUrtant si bien!

Dans la cour de l'école de la Gratouille, c'est l'heure de la récréation. Dehors, les élèves s'amusent gaiement sous les doux rayons du soleil de printemps.

Déjà, en ce mois
de mai, quelques-
uns d'entre eux
comptent les jours
qu'il reste avant
la fin de l'année
scolaire. L'été s'en
vient à GRANDS
pas. Tout le monde
a **TRÈS** hâte
aux vacances !

YiPiiiiii !

Dans un coin reculé de la cour, quatre élèves de troisième année de la classe de madame Sarah se sont « comme » mis à l'abri.

DE LA PLUIE ?

9

Non ! Il fait un soleil radieux. Ils se sont seulement éloignés des enfants de la maternelle, car ces derniers jouent au ballon.

Ouais !

Il n'est pas conseillé
de traîner près
des plus jeunes
de l'école lorsqu'ils
s'amusent avec
un ballon, car
le risque est grand
de recevoir la
GROSSE BALLE
en plein sur le nez.

BOiiiiiiiiii
NNNNG !
OUCH !

C'est déjà arrivé !
Ça arrive tous
les jours, en fait.
C'est à croire
qu'ils le font exprès.

MAIS NON !

C'est juste qu'ils
sont un PETIT peu
maladroits parce
qu'ils sont **SI** petits.

C'est normal,
ce sont les plus
jeunes de l'école.
À part les enfants
de la garderie,

bien sûr. Mais eux,
ils ne comptent
pas vraiment, car
ils ne vont pas
« À LA VRAIE
ÉCOLE », d'après
certains élèves.
Effectivement,
ils passent plus
de temps à s'amuser
qu'à travailler.

— Cinq cent vingt-
neuf mille deux
cent trente-deux !
annonce **tout
à coup** Samuel
à ses amis, Alice,
Maïka et Xavier.

Ils se tournent
vers lui.

— Mais qu'est-ce que tu dis là ? interroge Alice. **C'est quoi, ÇA,** cinq cent vingt mille et quelque chose ?

— Il reste maintenant cinq cent vingt-neuf mille deux cent trente secondes avant la fin de

l'année, explique
Samuel. J'ai fait le
calcul dans ma tête.

Immobiles, ses trois
amis le dévisagent
pendant quelques
secondes. Maïka,
elle, lève ensuite les
yeux au ciel en signe
de découragement.

— Tu ne pourrais pas faire comme **tout le monde** et compter les jours, plutôt que de compter les secondes, monsieur le mathématicien ? lui dit-elle.

Tsé !

— Ce n'est pas
de **ma faute**
si je suis bon en
mathématiques,
lui répond alors
le garçon. Vingt
et un jours, alors,
si tu veux !

— **Bah oui !**
renchérit Alice.

Ça me semble, à moi,
BEAUCOUP
moins long vingt et
un jours que vingt-
neuf mille gnagna
quelque chose
secondes !

— Moi aussi,
je préfère compter
les jours plutôt

que les secondes,
avoue à son tour
Xavier. Autant de
secondes, eh bien…
ÇA ME FAIT
PEUR !

Alice se tourne vers
le garçon.

— AH TOI ET TA PEUR MALADIVE!

Tu as peur de tout. Tu as peur d'ouvrir une porte de crainte qu'un monstre se cache derrière. Tu as eu peur des enfants qui se sont costumés pour passer

L'HALLOWEEN.
Tu as peur de
déballer tes cadeaux
de Noël parce que
tu penses qu'il y a
D'HORRIBLES
CRÉATURES
cachées à
l'intérieur
des boîtes...

N'IMPORTE QUOI !

— **C'EST VRAI !**
poursuit Maïka.
Cette année, tu as
fini par ouvrir tes
cadeaux de Noël
au mois de février.

25

Vêtu, en plus, de tout ton équipement de hockey pour te protéger, au cas où tu te serais fait **ATTAQUER** par un monstre.

Autour du pauvre Xavier, ses amis pouffent de rire. HA! HA! HA! HA! HA!

— Rappelez-vous, enchaîne Samuel, il avait même préparé **TOUT** un arsenal ridicule : un cola pétillant pour contrer les VAMPIRES, un vingt-cinq sous argenté pour se défendre contre les LOUPS-GAROUS,

une tondeuse
à gazon pour
se protéger des
ZOMBIS, du sirop
pour la toux à lancer
aux FANTÔMES…

— Tu as même
PEUR d'avoir
PEUR,
ajoute Alice.

29

— Bah oui, admet
Xavier un peu
à contrecœur,
je suis un peureux.
J'ai bien **PEUR**
d'être le plus
PEUREUX des
PEUREUX

Alice pose sa main
affectueusement
sur l'épaule
de son ami.

— Tu n'as pas
raison d'avoir peur,
Xavier, dit-elle pour
le rassurer. Les
monstres n'existent
QUE dans les films
ou dans les livres.

C'EST PROUVÉ !

Mon oncle me l'a
souvent dit : la seule
chose que nous
devons craindre,
c'est le mariage.

— Ouais !

lâche Maïka.
Il paraît qu'il faut
courir à toutes
jambes, si jamais

nous entendons
ce mot.

Les quatre amis se
mettent à rire très fort.

HA! HA!
HA! HA! HA!

Tout à coup,

BOiiiNG !

Xavier vient de recevoir un ballon derrière la tête.
La douleur le pousse à frotter le point d'impact avec ses deux mains. Si bien que ses cheveux deviennent vite en BROUSSAILLE.

— **Ah!** Comme tu
es beau, **COMME ÇA!**
déclare Maïka pour
se moquer de son
ami en portant
la main devant
sa bouche.

— Tu as l'air d'un
PORC-ÉPIC sorti tout
droit d'une sécheuse

à vêtements !
ajoute Samuel.

— AYOYE !
crie Xavier en
se lamentant.
Ça doit encore être
ce petit chenapan
de Zachary qui a fait
ça. Ça fait mal ! c'est
TOUJOURS LUI !

— Ben non, lui dit
Alice, ce n'est pas
TOUT LE TEMPS
Zachary, VOYONS !
C'est juste que
les enfants de la
maternelle sont
encore un peu
maladroits.
Il faut dire que
plus l'année avance,

plus ils grandissent.
Ils lancent le ballon
de plus en plus loin,
et de plus en plus fort.

— C'est ce petit
chenapan, je vous
le dis, insiste Xavier.
Je suis certain qu'il
fait exprès. Il me fait
peur, cet enfant.

— **DIX** ! lance
tout à coup Samuel,
dans un autre ordre
d'idées.

— **DIX QUOI** ?
demande Alice.
Pourquoi
dis-tu
« dix » ?

— Il reste maintenant moins de **dix secondes** avant vous savez quoi, répond son ami.

OH ! OH !
LA CLOCHE
DE LA FIN DE
LA RÉCRÉ !

La sonnerie qui annonce la fin de la récréation est la **PIRE SONNERIE** dans toutes les écoles. C'est un intense cas de « BOUCHE TES OREILLES » obligatoirement.

La première
journée d'école,
il est TRÈS courant
de voir les nouveaux
élèves pleurer,
faire pipi dans leur
culotte, faire de
soudaines crises
d'asthme, et même
**tomber dans
les pommes**.

Tout ça, juste parce
qu'ils entendent
la cloche pour
la première fois.

YEP !

— **DEUX ! UN !**
déclare Samuel.

Les quatre enfants grimacent, ferment leurs yeux, et mettent **RAPIDEMENT** leurs index dans les trous de leurs oreilles !

47

Après cette « torture pour les oreilles », tous les élèves de l'école se mettent en rang, appréciant le silence qui règne maintenant dans la cour. Il est temps pour chaque groupe de retourner dans sa classe respective.

Chapitre 2

Tu ne perds rien POUr attendre ...

Dans le couloir,
Maïka, Alice,
Xavier, Samuel et
les autres élèves de
troisième année
suivent sagement
madame Sarah, qui
retourne d'un pas
autoritaire dans
la classe. Lorsque
le groupe passe

devant la classe
des maternelles,
ils aperçoivent les
enfants en train
de ranger leurs
manteaux.

Quand Xavier
arrive à la hauteur
du petit Zachary,
celui-ci le regarde
méchamment

et lui fait ensuite
une grimace ;
étrangement,
sa langue est...
BLEUE !

Xavier avait donc
raison ; c'est ce petit
chenapan qui lui a
lancé le ballon sur
la tête, et il l'a fait
exprès !

PAS GENTIL!

Xavier décide alors
de dénoncer la
mauvaise attitude
du jeune garçon
à son enseignante.

— **MADAME
SARAH!**
s'écrie-t-il.

55

Son enseignante
ralentit et tourne
la tête vers lui,
sans toutefois
vraiment s'arrêter.

— Qu'est-ce qu'il
y a, Xav?

— Cet élève m'a
fait une grimace
POUR RIEN!

Et il pointe le petit Zachary de manière **ACCUSATRICE**. Le garçon affiche maintenant un air innocent, devant l'enseignante.

HYPOCRITE !

— Et alors?
demande ensuite
l'enseignante.

— Et alors QUOI?
répète Xavier,
qui cherche à
comprendre.

— Est-ce que
sa grimace t'a
fait **BOBO**?

interroge madame Sarah, tout en se remettant à marcher normalement vers sa classe. Ça t'a fait mal ?

— Bah non ! Pas du tout ! Ça ne m'a pas fait mal ! Pourquoi ?

— Alors, laisse faire, lui ordonne son enseignante. Zachary est encore trop petit pour bien comprendre **TOUTES** les règles de politesse de l'école. Ça viendra un jour.

Aussitôt que
madame Sarah
a le dos tourné,
le petit Zachary
fait une autre
affreuse grimace
à Xavier avec son

HORRIBLE LANGUE BLEUE !

ÉTRANGE...

Enfin arrivée devant la porte de sa classe, madame Sarah s'arrête pour donner des instructions à ses élèves :

— En silence, rangez vos manteaux et

assoyez-vous à votre
pupitre. Je vais vous
remettre vos travaux
de géographie.
Je suis très fière
de vous, vous avez
TOUS réussi.

Les enfants
s'applaudissent.

CLAP !
CLAP ! CLAP !

— Alors, nous avons
mérité une période
libre ? demande
Alice, toute souriante.
Vous allez piger
dans la boîte de
suggestions
de dessins ?

L'enseignante hoche la tête pour lui répondre.

— **OUI !** lui confirme-t-elle ensuite de vive voix. Je vous avais promis une période de dessin chaque fois que **TOUS** les élèves de la classe auraient une bonne note. Alors, je vais permettre à un élève de piger dans la boîte à suggestions de dessins. Dans cette boîte, il y a **VOS** suggestions, et comme vous le savez déjà, il est

INTERDIT

de dessiner autre chose que ce qui a été pigé. **QUI VEUT PIGER ?**

Tous les enfants lèvent la main, bien sûr. Madame Sarah pointe Samuel. Le jeune garçon se lève aussitôt pour se diriger vers la boîte à idées de dessins posée sur le rebord de la fenêtre.

— Il reste seulement trois papiers dans cette boîte, madame Sarah, dit Samuel à son enseignante.

Madame Sarah
regarde son élève
d'un air très étonné.

— Mais comment
tu le sais ? lui
demande-t-elle.
Tu as regardé
dans la
boîte ?

— Non, m'dame,
répond Samuel,
j'ai seulement
compté! Nous
sommes vingt-deux
élèves dans la classe,
et nous avons pigé
dix-neuf fois depuis
le début de l'année.
Il reste donc trois
papiers. Nous avons
déjà dessiné

un homme invisible
chauve, un père
Noël en costume
de bain, le directeur
de l'école avec une
couche de bébé,
le Bonhomme Sept
Heures en retard,
un hamburger avec
cent boulettes, des
fantômes en forme
d'orteils géants,

73

un dentiste
avec des caries,
un liontigre-
rhinocéros-
éléphant,
un tyrannosaure
maquillé,
une voiture avec
une seule roue,
un iPhone qui peut
faire nos devoirs,
un autobus

74

scolaire volant,
une maison avec
un soleil, l'école
de la Gratouille
détruite par un
météorite, le lapin
de Pâques allergique
au chocolat, un
géant bleu qui a
la tête dans les
nuages, des brocolis
multicolores,

Spider-Man qui se tricote une tuque avec ses toiles et, finalement, notre concierge en tutu qui danse le ballet avec son balai.

Un grand silence règne dans la classe. Madame Sarah et les autres élèves

regardent Samuel
d'un air ébahi.
Le garçon plonge
enfin sa main dans
la boîte et en ressort
rapidement
un bout
de papier,
où il lit
aussitôt
à voix
haute :

— **UN EXTRA-TERRESTRE AVEC DES BOBETTES SUR LA TÊTE ! IL FAUT DESSINER ÇA,** annonce-t-il à ses camarades.

79

Et il se redirige vers son pupitre avec le sourire aux lèvres.

— **BON!** fait madame Sarah. *ALEA JACTA EST!* Allez! Dessinez-moi cet extraterrestre coiffé d'une paire de bobettes.

Les yeux des élèves sont tous braqués sur l'enseignante. Voyant qu'aucun d'eux n'a compris ce qu'elle vient de dire, elle s'explique.

— *ALEA JACTA EST* est une phrase en latin qui signifie que le sort en est

jeté, leur explique-
t-elle. César a
prononcé cette
phrase après avoir
fait sa fameuse
salade pour la
première fois.
C'est dans l'une
des bandes
dessinées d'Astérix.
Vous la lirez !

Chapitre 3

Mais POUrquoi te grattes-tu, Gratien?

Pendant que les élèves **ESSAIENT** du mieux qu'ils peuvent de dessiner un extraterrestre portant un sous-vêtement sur sa tête, madame Sarah en profite pour préparer

le déroulement de la
journée d'école.

Une fois sa liste
terminée, elle
la relit pour voir si
elle n'a rien oublié.
Elle lève la tête de
temps en temps
pour surveiller
ses élèves.

✔ Lire une fable
de Johnny de
L'Abreuvoir,
*Le dépanneur et
la sloche bleue.*

✔ Répondre en
groupe à la question :
« Qui est arrivé
avant : l'oeuf ou
la poule ? »

✔ Apprendre par cœur le nom de TOUS les os du corps humain. Il n'y en a que deux cent six, alors ce sera hyper FAFA, comme ils disent.

✔ Étudier.

AH OUAIS !

Finalement, OUPS !

Là, mes élèves

ne seront pas

contents, comme

chaque jour...

LONG DEVOIR

ET ENCORE PLUS

LOOOOONGUES

LEÇONS !

YARK !

Lorsqu'elle lève la tête et jette un coup d'œil à ses élèves pour voir si tout se déroule dans le calme, elle remarque que **GRATIEN SE GRATTE LA TÊTE !**

90

91

Curieuse, elle ne peut s'empêcher de s'adresser au jeune garçon, qui est assis tout au fond de la classe.

— GRATIEN !

lance-t-elle un peu fort pour bien se faire entendre de son élève. Est-ce

que tu manques
d'inspiration pour
faire ton dessin ?
Habituellement,
tu te GRATTES
la tête lorsque
je te présente
un problème de
mathématiques.
Ce n'est pas le cas,
ici. Tu n'as qu'à faire

un dessin, et tu es
bon pour dessiner.

Gratien se GRATTE
maintenant le
dessus de la tête
à deux mains, de
manière intense.
Madame Sarah
n'a pas besoin
d'une calculatrice
pour trouver ce

qu'égale deux plus deux... Ça égale **QUATRE !**
Ou dans ce cas-ci, pour trouver ce qui cause à son élève cette démangeaison...

DES POUX !

Tout en gardant son calme, l'air de rien, elle se lève et se dirige lentement vers Gratien. Bien sûr, l'enseignante joue un jeu. Elle ne veut **CERTAINEMENT** pas faire paniquer les enfants.

Lorsque madame Sarah arrive à côté de Gratien, il s'affaire toujours à se GRATOUILLER la tête. L'enseignante se penche, étire le cou longuement comme si elle voulait imiter une girafe et se met

à examiner le cuir
chevelu du garçon.
À peine a-t-elle
posé ses yeux sur
la tête de son élève
qu'elle aperçoit
un minuscule
insecte qui zigzague
gaiement entre
les cheveux de
l'enfant, comme le
ferait un porc-épic

heureux entre les arbres d'une forêt.

— YAAAARK !

laisse-t-elle échapper sans pouvoir se retenir. Ce n'est pas vrai ! Non ! Oui ! C'est **impossible** ! Pas dans **MA** classe ! Ça n'arrive qu'à moi,

ce genre de chose !
Il faut prévenir
l'infirmière ! **Non !**
Il faut appeler
l'ambulance !
L'école doit être mise
en quarantaine !
Nous sommes
envahis par
les habitants
de la planète
PILOSITÉ !

Bien sûr, ce long et inattendu exposé de madame Sarah a alerté tous les élèves qui, maintenant, la bouche grande ouverte, dévisagent **TOUS** leur enseignante.

QU'EST-CE QUI SE PASSE ?

Voyant qu'elle en a **BEAUCOUP TROP DIT** et que Gratien a les deux mains enfoncées dans sa chevelure, madame Sarah sait qu'il est maintenant inutile de mentir à ses élèves.

— **Bon !** dit-elle
pour commencer.
Du calme, les
enfants, ce n'est
pas la peine
de paniquer,
de pleurer, de bayer
aux corneilles,
de rire pour rien,
de grimper dans les
rideaux, de faire une
« CRISE DU BACON »

sur le plancher ou
de faire des trucs
puants dans
vos couches.

— Ça fait longtemps
que nous ne portons
plus de COUCHES !
déclare Alice, qui ne
comprend pas plus
que les autres ce qui
se passe.

Visiblement, l'enseignante est un peu énervée.

— Qu'est-ce qu'il y a, madame Sarah ? ajoute Alice.

— Nous vous promettons que nous allons rester calmes, madame

Sarah, lance Xavier. Nous sommes des grands de troisième année.

VOYONS!

L'enseignante prend une grande inspiration avant d'apprendre la mauvaise nouvelle à toute sa classe.

— GRATIEN A DES POUX ! finit-elle par avouer aux élèves.

— DES POUX ?
répète Maïka.

— OUI !
lui confirme
son enseignante.
Il en a au moins
un sur sa tête...
JE L'AI VU !
Il gambadait
gaiement sur
son cuir chevelu.

110

Malgré leur promesse, tous les élèves sont pris de **PEUR**. Dans un grand fracas, plusieurs chaises tombent sur le plancher.

BRAAAAAM! BROUUUM!

Tout le monde s'éloigne du pauvre Gratien, qui se retrouve seul au milieu de la classe.

— **JE VEUX M'EN ALLER CHEZ MOI !** hurle Noah, qui est allé se cacher sous son pupitre.

— **JE VEUX
MA MAMAN**!
s'écrie Florence,
le dos collé au mur.
**JE VEUX AUSSI
MON PAPA, MON
GRAND FRÈRE,
MON ONCLE
GEORGES, MA
TANTE HÉLÈNE,
GRAND-MÈRE ET
MON TOUTOU**!

— J'AIMERAIS QUE QUELQU'UN M'APPORTE MON LIT POUR QUE JE PUISSE ME CACHER EN DESSOUS !

supplie Alexia.

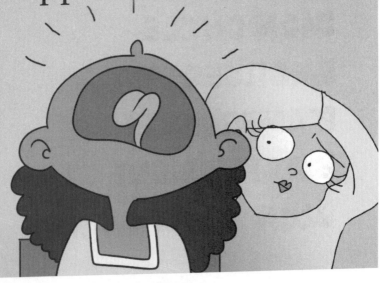

— JE VEUX MON HABIT DE NEIGE POUR ME PROTÉGER! crie à son tour Noémie.

— JE VEUX MON DOUDOU, CAR QUI D'AUTRE PEUT ME PROTÉGER DES BIBITTES-QUI-SUCENT-LE-SANG?

demande Justin,
affolé.

Gratien ouvre tout
grand ses yeux.

OUI !

Il a bien entendu...

BIBITTES-
QUI-SUCENT-
NOTRE-SANG !

— JE NE VEUX PAS QUE DES POUX VIENNENT SUCER MON SANG, CAR J'EN AI BESOIN !

rouspète ensuite Jade.

— **WÔ**, tout le monde! s'exclame madame Sarah, qui essaie de calmer ses élèves. Vous ne courez **AUCUN** risque, vous savez. **OUI**! La seule chose que peut faire ce pou, c'est de sucer un peu le sang de Gratien.

Le principal intéressé grimace d'horreur en entendant les paroles peu rassurantes prononcées par son enseignante.

— QUOI ? fait-il, affolé. Vous avez dit que le **POU** que j'ai sur la tête va... **SUCER MON SANG !**

— Euh... oui,
lui répond son
enseignante,
mal à l'aise.

Gratien laisse tomber
lourdement sa tête
sur son pupitre.

BAAANG!

— **OH NOOOON!** se plaint-il maintenant. **ÇA Y EST! JE VAIS DEVENIR UN POU!**

Madame Sarah plisse les yeux en signe d'incompréhension.

— Mais pourquoi dis-tu que tu vas

devenir un pou? l'interroge-t-elle.

— Mais parce que, **PARCE QUE...**

Gratien pleurniche maintenant comme un bébé.

— Parce que si un vampire suce notre

sang, poursuit-il,
eh bien, nous
devenons nous
aussi un vampire.
Alors si ce pou
suce mon sang…
**JE VAIS DEVENIR
UN POU, VOYONS !**

**GNA !
GNAAAAAA !**

Et le voilà reparti…

124

— Mais qu'est-ce
que tu racontes
là ? rétorque son
enseignante.
Les poux n'ont
ABSOLUMENT
rien à voir avec
les vampires.
Ce ne sont que de
petits parasites
qui nous rendent
la vie désagréable

et dont il faut
se débarrasser,
c'est tout !

Excédée, madame
Sarah se tourne
maintenant vers
Samuel.

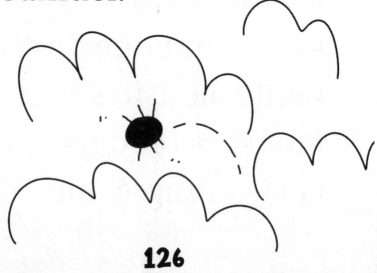

— **SAM**! Va chercher
TOUT DE SUITE
Clara, l'infirmière, et
reviens vite avec elle.

Aussitôt, le garçon
se lève, fait un salut
militaire à son
enseignante et lui
dit, avant de quitter
la classe :

— À VOS ORDRES, GÉNÉRALE SARAH ! Je serai de retour avec madame Clara dans cent quatre-vingt-trois secondes. PROMIS !

ZIOUuuuuu !

Chapitre 4

DIAGNOSTIC: Gratien a la tête comme une POUtine!

Dans la classe de madame Sarah, un calme bien fragile est revenu. Pour une rare fois, TOUS les élèves sont silencieux. Même Emma « **LA PIE** » est TOTALEMENT muette. Elle qui, d'habitude, parle sans arrêt sans prendre le temps de respirer n'ose même pas bouger, de peur de se **FAIRE ATTAQUER** par le pou qui est sur la tête de Gratien.

Ridicule, TU DIS ?

Assise à son bureau, madame Sarah attend avec les autres le retour de Samuel, qui doit revenir avec Clara, l'infirmière de l'école.

Le voilà qui arrive au pas de course. Dans la classe, il freine en faisant crisser

ses espadrilles
sur le plancher.

Hiiiiiiiiiiii!

— **ZUT DE
ZUT! DE ZUT,
ZUT, ZUT!**
s'écrie-t-il après
avoir regardé
sa montre.

Madame Sarah
cherche à
comprendre ce
qui se passe.
Elle se lève de son
fauteuil, craignant
une **AUTRE**
mauvaise nouvelle.

— Qu'est-ce qu'il
y a, Sam ? Tu n'as
pas réussi à trouver
l'infirmière.

— **NON !** Je me suis trompé de deux secondes, lui répond son élève. Je suis malheureusement revenu dans la classe après cent quatre-vingt-cinq secondes, soit deux secondes trop tard. Je ne me trompe jamais,

d'habitude. Ça doit
être à cause de ce
GRAND DANGER
auquel nous devons
courageusement
faire face.

Madame Sarah lève
les yeux au plafond.

— Tu parles du pou,
là ?

138

— *YES SIR,* **MADAME!** répond Samuel. Pour moi, le mot « POU » est synonyme de **DANGER !**

— Arrête de niaiser, Sam! dit madame Sarah, impatiente. Tu n'as pas réussi

à trouver madame
Clara ? Elle n'est pas
à l'infirmerie ?

Avant que Samuel
puisse répondre,
la silhouette de
l'infirmière apparaît
dans le cadre
de porte.

141

La femme pivote
sur elle-même,
ferme la porte et
se retourne vers
l'enseignante.
Elle se doute qu'il
se passe quelque
chose de grave, de

TRÈS
GRAVE !

— LES HOT-DOGS DE LA PLANÈTE MARS NOUS ATTAQUENT !

lance alors madame Sarah à l'infirmière.

Le regard terrifié, cette dernière porte la main à sa bouche. Elle est abasourdie !

Dans la classe,
les élèves se
questionnent.
Nathan aussi veut
comprendre.

— Mais madame
Sarah, déclare
le garçon, nous
n'avons pas un
problème de hot-
dogs martiens,

mais plutôt de
POUX !

— Je le sais très bien,
mon petit Nathan,
lui explique son
enseignante, mais
la commission
scolaire nous a
demandé d'utiliser

145

ce « code » au lieu de dire le mot « pou », pour éviter de semer la panique parmi les élèves, comme ça s'est produit plus tôt dans la classe.

Tout le monde a MAINTENANT compris.

— C'est le **CAMION POLAIRE** qui vous a dit de dire « hot-dog » à la place du mot « pou » ? demande encore Nathan.

Son enseignante lui sourit.

— La **COMMISSION SCOLAIRE**, Nathan ! **Pas le camion polaire !**

Dans la classe, l'infirmière s'impatiente et lance la question de façon **TRÈS** directe :

QUI a un PARTY de BIBITTES sur la TÊTE?

C'est en grimaçant de dégoût que tous les élèves de la classe montrent le pauvre Gratien d'un

149

150

doigt accusateur.
L'infirmière Clara
enfile des gants de
caoutchouc et se
dirige vers le jeune
garçon.

LÀ, comme
madame Sarah avant
elle, l'infirmière
constate assez
vite que Gratien a

EFFECTIVEMENT
des poux.

DIAGNOSTIC !

— **OUI !** s'exclame-
t-elle après avoir
vu plusieurs petits
insectes. Gratien
a des poux.
PLUS QU'UN !
Tellement qu'on

dirait qu'il a une **POUtine** de bibittes sur la tête.

Madame Sarah et ses élèves jettent tous des regards inquiets en direction de l'infirmière.

— Ne vous en faites pas, dit-elle en

tentant de rassurer
tout le monde.
Je vais fournir
À TOUS LES PARENTS
une feuille avec
la procédure à
suivre pour régler
le problème.

— On fait quoi,
nous, ici ? Avec,
AVEC...

Madame Sarah parle bien sûr de Gratien.

— **GRATIEN** est le premier cas de l'école qu'on me rapporte, explique l'infirmière à l'enseignante, alors, **PAS DE PANIQUE !**

155

— Moi, je pense qu'il y en a d'autres, affirme madame Sarah.

Elle se tourne ensuite vers Samuel, son petit commissionnaire.

— **SAM** ! ordonne-t-elle au garçon,

qui est déjà au garde-à-vous devant elle. Fais le tour des classes, et pose cette question à chaque enseignant : **COMBIEN Y A-T-IL DE HOT-DOGS DE LA PLANÈTE MARS QUI NOUS ATTAQUENT ?** Pour nous, les enseignants, chaque

élève qui a des poux
est un hot-dog de
la planète Mars.
Tu me rapporteras le
nombre de hot-dogs.

— *YES SIR, MADAME* !

Je serai de retour dans six minutes et...

Mais le garçon n'a pas le temps de terminer sa phrase que son enseignante l'interrompt.

— **M'EN FOUS** du temps que ça va te prendre pour faire ça, Sam. Je veux juste que tu me rapportes le nombre d'élèves de l'école qui ont des poux...

GO!

— *YES SIR, MADAME !*

Et il file comme un boulet de canon hors de la classe.

★ ★ ★

Quelques minutes plus tard, il est de retour. À bout

de souffle, il parvient
à dire :

— **SOIXANTE-
DOUZE !**

Son enseignante
entre dans
une **colère
MONSTRE !**

163

— JE T'AI DIT
QUE JE VOULAIS
SEULEMENT
SAVOIR COMBIEN
IL Y AVAIT D'ÉLÈVES
AVEC DES POUX !
hurle-t-elle.
JE NE VEUX
PLUS JAMAIS
T'ENTENDRE
COMPTER LE TEMPS
QUE ÇA TE PREND
POUR FAIRE
DES CHOSES.

— Mais, c'est
ce que j'ai fait,
madame Sarah…,
lui dit Samuel d'une
toute petite voix.

L'enseignante
regarde maintenant
son élève d'un air
" TERRiFiÉ. "

— QU'EST-CE QUE TU AS DIT? Combien d'élèves ont des poux, Sam? s'enquiert madame Sarah d'un ton beaucoup plus doux.

— Soixante-douze !
répète Samuel.
IL Y A SOIXANTE-DOUZE HOT-DOGS DE LA PLANÈTE MARS À L'ÉCOLE.

C'est comme si
les deux bras de
l'enseignante et de
l'infirmière venaient

de tomber sur
le plancher.

PLOC!
PLOC!

PLOC!
PLOC!

Elles ont l'air
toutes les deux
complètement
découragées.

— Soixante-douze!
Il faut prévenir le
CAMION POLAIRE,
madame Sarah!
suggère fortement
Nathan.

— **ARRÊTE**!

grogne Maïka.
C'est **COMMISSION
SCOLAIRE** qu'il faut
dire, pas camion
polaire.

170

— C'EST LA MOITIÉ DE L'ÉCOLE!

déclare madame Sarah. On fait quoi, **LÀ?** C'est une épidémie. Il faut faire quelque chose.

— Il faut éviter que ceux qui ont des poux les donnent à l'autre moitié,

répond l'infirmière.
**IL NOUS FAUT
TROUVER UNE
STRATÉGIE !**
Mais j'y pense :
vous, les élèves
de la classe de
troisième, vous
siégez au comité
de l'école. C'est
donc à vous de
trouver une solution.

Chapitre 5

Tous POUr un, mais pas un POU pour tous!

Dans la classe de madame Sarah, le problème de poux à l'école de la Gratouille est devenu **LE** problème le plus important à régler. C'est comme si **TOUT LE MONDE** travaillait sur le même **GROS DEVOIR**.

— Alors, explique madame Sarah à ses élèves, pour ne pas avoir de poux, il faut éviter d'entrer en contact avec la tête des élèves qui en ont. **Il ne faut pas mettre la tuque ou la casquette de quelqu'un qui a des poux.** Aussi faut-il

trouver une façon
d'identifier les
élèves qui ont
des poux. J'attends
vos suggestions.

Assis à
son pupitre,
Xavier lève
la main.

— Tu as une
suggestion, Xavier ?
lui demande
son enseignante.
C'est quoi ?

— Non, lui répond
son élève, je veux
vous demander
la permission de
me gratter la tête.

Tous les regards se tournent vers Xavier.

— **TU AS DES POUX TOI AUSSI** ? s'exclame son enseignante.

— Non ! Non ! Non ! C'est juste que je réfléchis mieux en me grattant la tête.

—OK!

Au beau milieu de la classe, Alice lève la main.

—Oui, Alice ?

— Nous pourrions coller un Post-it sur le front de ceux qui ont des poux avec cette phrase :

ATTENTION!

J'ai des poux.
Écartez-vous
de mon chemin;
sinon, je vous
remplirai la
tête de bibittes
suceuses de sang.

— C'est un début, Alice, lui dit son enseignante, mais il y a un peu trop de détails. Nous pourrions trouver quelque chose de moins long et aussi, de plus rigolo.

Maïka lève la main à son tour.

— JE SAIS, MADAME SARAH !

Nous devrions **COMPLÈTEMENT** raser la tête de ceux et celles qui ont des poux. Ensuite, nous pourrions dessiner des cheveux avec des crayons-feutres de toutes les couleurs sur leur crâne rasé.

184

Mais avant que
son enseignante
puisse répondre
« **MAUVAISE IDÉE** »
à la suggestion
de Maïka, Alice
s'exclame, en se
levant sur sa chaise :

— JE SAIS !
Ceux qui ont des
poux doivent se

mettre une paire
de BOBETTES
sur la tête, comme
sur le dessin que
nous sommes en
train de faire.

Son enseignante
lui sourit.

— BRAVO! lance
madame Sarah pour
la féliciter. Tu as

trouvé, Alice.
C'est rigolo,
et facile à faire.

Puis, elle se lève
à son tour pour
s'adresser au reste
de la classe.

— Voilà votre
devoir pour ce soir,
annonce-t-elle

à tous ses élèves.
Vous allez trouver
une vieille paire de
bobettes à emporter
à l'école demain,
au cas où vous vous
retrouveriez avec
des poux vous aussi.
Congé de leçons,
en plus !

Des cris de joie
remplissent la classe.

Madame Clara se
tourne vers madame
Sarah.

— C'est **TELLEMENT**
une bonne idée,
conclut l'infirmière.
Je vais informer
le directeur de la

NOUVELLE directive relative aux poux. Demain, tous ceux qui ont des poux porteront une paire de bobettes sur la tête afin de s'identifier.

C'EST UNE TRÈS BONNE IDÉE !

Chapitre 6
Mais c'est imPOUssible, ÇA !

Le lendemain matin, dans la cour de l'école, ce sont presque tous les élèves qui portent une paire de bobettes sur la tête. Les deux enseignants responsables de la surveillance

n'en reviennent tout
simplement pas
de voir le nombre
d'enfants qui ont
des **poux**.

— Je n'ai **jamais** vu
ça, avoue monsieur
Tommy. Ça fait dix
ans que je suis prof,
et je n'ai jamais
vécu ce genre
de situation.

— Autant d'élèves ayant des poux, tu veux dire ? lui demande madame Joanie.

— **NON!** précise Tommy à la blague. Autant de bobettes dans la cour de l'école.

Et il fait un clin d'œil
à madame Joanie.

Voyant qu'elle se
fait un peu niaiser
par l'autre prof,
madame Joanie
pousse monsieur
Tommy en souriant.

IDIOT !

Ce dernier feint
de s'écraser sur
la clôture.

BLANG!

— **HÉ! HÉ! HÉ!**
Pas de violence
à l'école.

— **OUPS!** C'est
la cloche. Il faut
rentrer.

Ba! Ba! Dada! Braaaaa! Daaaaa!

— Tu es chanceux, monsieur Tommy, tu es sauvé par la cloche.

* * *

Dans la classe de madame Sarah, malgré le grave

problème de
poux, les élèves
se préparent pour
la journée qui
commence. Il n'y
a que Maïka, Alice,
Xavier et Samuel
qui n'ont pas de
BOBETTES sur la
tête. Madame Sarah
voudrait bien rire
de la situation, mais

ce n'est pas drôle DU TOUT.

Assise à son pupitre, Maïka est la première à être prête, comme toujours. Ses crayons sont aiguisés et son cahier est ouvert sur son bureau. Alice

est complètement
à l'opposé. Elle est
encore en train de
chercher ses choses
dans son fouillis,
la tête enfouie
dans son pupitre.
Xavier le peureux,
lui, mange une
barre tendre, caché
derrière son sac à
dos, qui est posé sur

son pupitre. Reste
le mathématicien,
Samuel. Madame
Sarah lui a donné
la responsabilité de
nourrir Glouglou,
le poisson rouge,
chaque matin.
Elle sait qu'elle peut
COMPTER sur lui
pour exécuter cette
tâche correctement

et ne jamais oublier.
Il est vrai qu'on
peut **TOUJOURS**
COMPTER sur un
MATHÉMATICIEN,
n'est-ce pas ?

Hi ! Hi ! Hi !

Mais lorsque
Samuel s'apprête à
déposer les flocons

de nourriture dans
l'eau du bocal
de Glouglou, il
remarque que le
poisson a de bien
curieuses petites
taches noires...
SUR LA TÊTE !

Il s'approche pour
mieux voir.

Une expression de **TERREUR** apparaît tout à coup sur le visage du garçon. Il se tourne vers son enseignante.

— **MADAME SARAH**!

s'écrie-t-il, affolé.

GLOUGLOU A DES POUX LUI AUSSI!

Pensant que son élève lui fait **UNE TRÈS MAUVAISE** blague, madame Sarah se dirige vers lui d'une démarche nonchalante. Arrivée devant le bocal du poisson rouge, elle se penche pour regarder. À son grand étonnement, elle remarque que

GLOUGLOU A DES **POUX** LUI AUSSI !

— **C'est imPOUssible**, ça! laisse-t-elle échapper sans pouvoir se retenir. Ça ne se peut pas qu'un poisson attrape des poux! IL EST DANS L'EAU!

Tous les élèves, qui ont évidemment entendu le commentaire de madame Sarah, s'élancent à une vitesse folle vers le bocal.

GNAAAAAA!

211

— **AH NOOOON!**
s'exclame Maïka,
presque en
pleurs. Même
Glouglou a
des poux!

— **MAIS QU'EST-CE
QU'ON VA FAIRE,
MADAME SARAH?**
demande Xavier

à son enseignante.
Comment va-t-on
faire pour trouver
une **MINI**paire de
bobettes à mettre
sur la tête de
Glouglou?

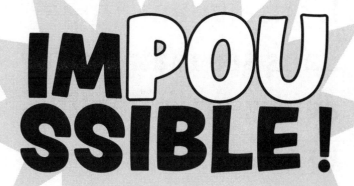

— **RIEN**, **VOYONS**!
lui répond Alice.
Qu'est-ce qu'on va
plutôt faire avec
cette ÉPIDÉMIE
de poux BIZARRE?

L'enseignante tape
dans ses mains pour
avoir l'attention de
tous ses élèves.

TAP! TAP! TAP!

— **LES AMIS**!
LES AMIS! Voici le travail que vous avez à faire aujourd'hui : mettez-vous quatre par ordinateur. Je veux que vous fassiez des recherches sur cette épidémie de poux.

JE VEUX TOUT SAVOIR ! Allez,

Devant leur
ordinateur, Maïka.
Alice, Xavier et
Samuel ont déjà
commencé leur
enquête. Assise

devant l'écran, Alice tape sur le clavier. Elle est la plus rapide. Bon, d'accord, Xavier est **PLUS** rapide pour taper sur son ballon de basket, mais là, les quatre amis ont besoin de quelqu'un qui est rapide pour taper au clavier.

— Faisons cette recherche-ci sur Google, propose Xavier : « Qui est l'inventeur des poux ? » Moi, je pense que les poux ont été inventés en même temps que les cheveux ou les poils.

L'air découragé,
ses trois amis se
tournent vers lui.

— Ce que tu peux
être con, des fois,
lui lance Maïka.
Il n'y a personne
qui a « **INVENTÉ** »
les poux, voyons.
Ils ont **TOUJOURS
ÉTÉ LÀ** !

Par curiosité, Alice a déjà tapé la question de Xavier, car elle aussi, elle veut savoir.

— **VOILÀ !** fait-elle pour commencer. Les poux existent depuis des millions d'années. Ils étaient là au temps des dinosaures.

250 MILLIONS D'ANNÉES !

— Les dinosaures ont inventé les poux, alors ? demande Xavier.

— **ARRÊTE** avec ton affaire d'inventer les poux! lui ordonne Samuel. Les poux se multiplient, ils ne s'inventent pas, voyons!

Alice tape le mot « pou » sur le clavier.

TAP ! TAP ! TAP !

À l'écran, des images de poux **GÉANTS** apparaissent.

— **YARK !**
fait Maïka,
TOTALEMENT
dégoûtée. Ce qu'ils sont **LAIDS** !

Ces insectes ne
doivent pas avoir
de blondes, ils sont
beaucoup trop
affreux.

Alice se met à rire.
De son côté,
Samuel réfléchit
à voix haute.

226

— Maïka a peut-être raison ! Ils ne sont pas très beaux.

Près de lui, ses amis écoutent.

— Peut-être que les poux sont beaucoup, genre des **MILLIONS**, poursuit Samuel, et qu'ils sont dirigés

par quelqu'un, ou
quelque chose.
Genre... **UN BOSS**!

Alice tape « boss
des poux ».

TAP! TAP! TAP!
TAP! TAP! TAP!
TAP! TAP! TAP!
TAP! TAP! TAP!
TAP!

À l'écran, un message apparaît : aucun résultat pour la recherche.

ZUT !

AUCUN RÉSULTAT
POUR LA RECHERCHE

— Essaie avec
« **PATRON** », lui
suggère alors Xavier.

Alice tape aussitôt
« **PATRON
DES POUX** ».

À l'écran, elle
obtient le même
message : aucun
résultat pour
la recherche.

— Tape « **GÉNÉRAL DES POUX** », propose à son tour Maïka.

Alice s'exécute, et n'obtient toujours aucun résultat.

AUCUN RÉSULTAT POUR LA RECHERCHE

— Bon, alors, dit Samuel, un peu las de cette vaine recherche, essaie avec « **CHEF DES POUX** » !

Découragée, Alice tape tout de même « **CHEF DES POUX** ».

À la grande surprise des quatre enfants, l'image d'un monstre hideux apparaît à l'écran.

ILS ONT TROUVÉ !

— MADAME SARAH !

crient-ils en même temps, comme s'ils faisaient partie de la chorale de l'école.

Leur enseignante accourt aussitôt vers eux.

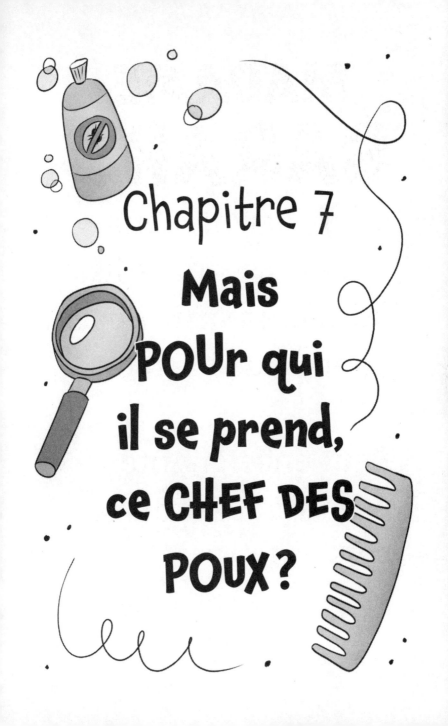

Chapitre 7

Mais POUr qui il se prend, ce CHEF DES POUX ?

Madame Sarah,
Xavier, Samuel,
Maïka et Alice
regardent ensemble,
d'un **AIR APEURÉ**,
le monstre à l'écran
de l'ordinateur.
Les résultats de leur
recherche indiquent
que c'est cette
horrible créature

qui dirige la meute
de poux qui a
envahi l'école.

— Mais il est **OÙ**,
ce chef des poux ?
demande Samuel.
Si nous trouvons
le chef des poux,
nous pourrons régler
le problème de poux
à l'école.

— Je te donne « **A +** » pour cette idée, Sam, dit son enseignante pour le féliciter.

Après avoir tapé « **GOOGLE MAP** » sur son clavier, Alice tape ceci : « Chef des poux, localisation ou adresse ».

À peine quelques secondes plus tard, une multitude de points apparaissent sur la carte de la ville. Ce qui étonne les quatre amis.

— MAIS OÙ IL EST, CE CHEF DES POUX? IL EST PARTOUT?

lâche Maïka, qui semble plutôt confuse. Il ne peut pas être à tous ces endroits EN MÊME TEMPS?

IMPOU SSIBLE !

— **OUI !** s'écrie Xavier, qui vient de comprendre.

Ses trois amis et son enseignante se tournent vers lui.

242

— Il n'y en a pas qu'un, chef des poux, leur répond-il avant qu'ils lui posent la question. Il y en a **PLUSIEURS!** UN DANS CHAQUE ÉCOLE.

244

HEIN???

Xavier pose son index sur l'écran, à l'endroit où se situe l'école de la Gratouille, et où il y a ÉTRANGEMENT un point de localisation.

— Agrandis cette partie de la carte, Alice, s'il te plaît ! ordonne Xavier à son amie.

La jeune fille **clique** aussitôt avec la souris à l'endroit voulu, et l'école apparaît **instantanément** à l'écran.

Xavier pose à nouveau son doigt sur l'écran.

— IL Y A UN CHEF DES POUX EXACTEMENT LÀ, CACHÉ DANS NOTRE ÉCOLE !

Une expression
d'horreur
envahit le visage
de tout le monde.

— On fait quoi, là ?
lance Alice, apeurée.
Il se cache OÙ
EXACTEMENT,
dans l'école, ce chef
des poux ?

249

— Je n'en ai aucune idée, lui répond Xavier, encore plus effrayé que ses amis. Mais une chose est certaine :

IL FAUT LE TROUVER ET L'EXTER- MINER !

Chapitre 8

À la POUbelle, le chef des POUX !

Avec une note en main les autorisant à circuler librement dans l'école, Maïka, Alice, Xavier et Samuel s'élancent dans le couloir à la recherche du chef des poux. Près du gymnase, ils sont arrêtés par le directeur.

ZUT !

Cette rencontre risque de les retarder dans leur **MISSION EXTRA-SPÉCIALE !**

WÔ! WÔ! WÔ! WÔ!

s'exclame aussitôt
le directeur en leur
barrant le passage.

Un « **WÔ!**»
par élève, c'est
la manière dont
il interpelle les
jeunes. Les quatre
amis ont bien
sûr remarqué les
bobettes sur la
tête du directeur.
ATTENTION!
Il a donc des poux,
lui aussi.

257

— Que faites-vous tous les quatre hors de votre classe ? leur demande-t-il. Ce n'est pas encore la récré.

— Nous sommes en **missssss...**, lui dit Xavier interrompu soudainement par

un coup de coude
de Maïka.

— Madame Sarah
nous a demandé de
ne pas dire que nous
sommes en mission,
lui chuchote
Maïka à l'oreille.
Ça pourrait semer
la PANIQUE entre
les murs de l'école.

Personne ne doit
savoir qu'il y a une
sorte de monstre
caché ici...

Alice tend la note
de madame Sarah
au directeur, qui se
met aussitôt à la lire.

— Autorisation de circuler à... parce que vous avez tous les quatre... le « *VA-VITE*»...

Le directeur lève la tête.

— C'EST QUOI, ÇA, LE « *VA-VITE* » ?

— C'est quand
il faut aller **VITE**,
VITE, **VITE**
aux toilettes
et **SOUVENT**,
SOUVENT,
SOUVENT !
lui répond
Alice.

Cependant, aucun des quatre élèves n'est affligé de ce malaise. La note n'est qu'une excuse pour qu'ils puissent se déplacer dans l'école.

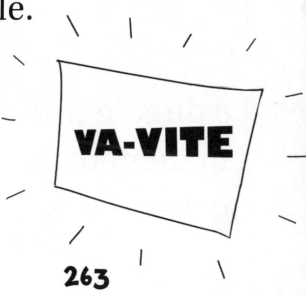

VA-VITE

— C'est contagieux, le **«VA-VITE»?** demande le directeur, craintif.

— **OUI**! **TRÈS**! riposte Xavier, l'air grave.

Le directeur recule rapidement de quelques pas et

enchaîne avec
une autre question.

— **ET AUSSI**,
est-ce que c'est
votre comité qui
a décidé que tous
ceux qui ont des
poux doivent mettre
de RIDICULES
BOBETTES
sur leur tête ?

Les quatre élèves
mentent en niant.
Ils ne veulent
surtout pas s'attirer
les **FOUDRES**
du directeur.

— Ce n'est rien,
Monsieur le
Directeur, lui ment
à nouveau Xavier.
Nous avons entendu

dire qu'il a aussi
été décidé que tous
ceux qui avaient
le « va-vite »
auraient à porter...
UNE COUCHE !

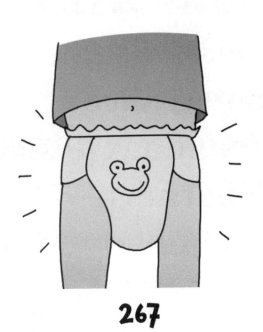

Le directeur en a assez entendu.
En plus de stupides bobettes, il devrait porter une couche de bébé s'il avait le **« VA-VITE »** lui aussi ! Il remet la note à Alice et ordonne aux jeunes de poursuivre

leur chemin, en s'éloignant **VITE**.

Arrivé devant le local des maternelles, Xavier colle son nez sur la vitre de la porte pour regarder. Sur la pointe des pieds, il semble

chercher quelque
chose ou quelqu'un
dans le local.

— Tu fais quoi,
LÀ, Xav ? lui
demande Alice.
Le chef des poux ne
peut pas être caché
dans le local des
maternelles, on
le saurait, voyons.

Nous aurions
entendu les enfants
crier.

Xavier se retourne
vers ses amis.

— C'est très
bizarre, déclare-
t-il. Le petit chenapan
de Zachary n'est pas
là, aujourd'hui.

— Il a peut-être le **«VA-VITE»!** lance Samuel pour rire.

— **CESSE DE DÉCONNER!** lui ordonne son ami. Il est ÉTRANGE, ce petit garçon. Il est méchant, et pas seulement avec moi.

Il nous regarde
de manière louche.
**IL ME FAIT UN
PEU PEUR !**

— **AH NON !**
se plaint Maïka.
Tu ne vas pas
recommencer à avoir
peur pour rien, là ?

— Et si ma peur
était comme un

sixième sens grâce
auquel je pouvais
voir des choses que
PERSONNE ne voit ?
Vous n'avez jamais
remarqué que
la langue de Zachary
est bleue ?

— **Non !** lui répond Maïka. C'est sans doute parce qu'il a mangé un bonbon bleu, **c'est tout**.

— Je ne crois pas, moi, répond Xavier. C'est autre chose, je vous le dis. J'en suis certain !

Les quatre
élèves arrivent
à leur première
destination :
**LE LOCAL DE
RANGEMENT
DU CONCIERGE**.
S'il y a un endroit
où une créature
dégoûtante pourrait
se cacher, c'est bien
là. Ça **pue**, ça sent

comme dans
les égouts.

Après avoir vérifié
qu'il n'y a personne
dans le couloir,
les enfants décident
de faire l'inventaire
des armes dont
ils disposent pour
combattre et

CAPTURER

le chef des poux.

— Papier collant pour attacher la créature ? demande Alice.

— **CHECK !** lui répond Maïka. C'est moi qui l'ai.

280

— Bâton de hockey cosom pour se défendre ?
poursuit Alice.

— **CHECK!** lui dit à son tour Xavier.

Son ami soulève le bâton pour le lui montrer.

— **_GOOD_!**
rétorque Alice en
souriant. Perruque
de clown pour
attirer la créature ?

— **_CHECK_!** lui
confirme Samuel,
qui l'a mise sur sa
tête pour rigoler.

— Et moi, précise Alice, j'ai le iPhone de madame Sarah, si jamais il y a **urgence** et que nous avons besoin d'appeler quelqu'un pour avoir du renfort.

Ses trois amis lui font un signe de

la tête. **TOUT LE MONDE EST PRÊT** !

Samuel pose la main sur la poignée du local de rangement du concierge **ET OUVRE LA PORTE** !

CHLIC !

Chapitre 9

Cendrillon n'aime pas la POUssière

Dans le local
de rangement du
concierge, il ne
semble pas y avoir
l'ombre d'un chef
des poux. L'endroit
est rangé, mais une
odeur épouvantable
d'eau sale et pourrie
empeste les lieux.
Les quatre amis

fouillent chaque
recoin de la
pièce, mais,
malheureusement,
ils ne trouvent pas
ce qu'ils cherchent.
Sur le plancher,
Maïka aperçoit des
traces ÉTRANGES
qui mènent vers
la porte.

— VOUS AVEZ VU? dit-elle en les montrant aux autres.

Xavier et Samuel suivent les traces humides. Elles partent du seau du concierge et se rendent à la porte.

290

— Il y a quelqu'un ou quelque chose qui a pris son BAIN dans le seau plein d'eau crottée, pouvez-vous le croire? conclut Samuel. Et vous avez vu ces PETITS pieds? On dirait les pieds de Cendrillon.

— **BEN VOYONS!** Ce n'est pas Cendrillon, car ces traces de pieds n'ont qu'un seul orteil, tu n'as pas remarqué ? lui dit Xavier. Et puis, Cendrillon ne prendrait JAMAIS son bain dans une eau aussi dégueulasse.

YARK !

— En tout cas,
je ne connais pas
d'animaux qui ont
un seul orteil à
leurs pattes, déclare
Maïka. Ça ne peut
être que le chef des
poux. **SUIVONS
SES TRACES** !

Les empreintes
laissées par le chef
des poux vont
vers le couloir le
moins emprunté
par les élèves et les
enseignants, celui
qui conduit au sous-
sol abandonné.
Au bout de ce long
couloir mal éclairé
et sans fenêtres

se trouve une **TRÈS**
lourde et **TRÈS**
solide porte en fer.

On raconte que tous
ceux qui se sont
aventurés derrière
cette porte ne sont
JAMAIS REVENUS !
C'est un endroit
sombre, humide
et plein de toiles

d'araignées. Il y a
de gros insectes
dégoûtants qui
rampent partout.

Devant la porte
en métal, les quatre
amis considèrent
la situation.

— Je pense que nous
devrions appeler

le **911** et laisser la police s'occuper de ce patron des puces, suggère Xavier. J'ai comme un peu peur, moi.

QUOI DE NEUF?

— Tu as tellement peur que tu dis le **patron** des puces, lui fait remarquer Maïka. C'est le **chef** des poux.

— APPELER LA POLICE???

répète Samuel.

NON ! Ils ne croiront jamais notre histoire ridicule de chef des poux, voyons. Nous les appellerons seulement si nous parvenons à capturer cette créature

ABOMINABLE.
Si nous réussissons,
ils nous croiront.
Si nous parvenons à
capturer le chef des
poux, les policiers
n'auront plus le
choix, ils devront
aller attraper les
autres chefs des
poux cachés dans
les écoles. C'est la

SEULE façon de stopper l'épidémie de poux.

Les trois autres lui donnent raison. Vraiment décidée à en finir une fois pour toutes, Alice pose la main sur la poignée, et...

OUVRE LA PORTE !

Celle-ci grince
si fort qu'on dirait
le hurlement
d'un dinosaure.

GRRiiiiOUUUUU !

Chapitre 10

Quatre POUles mouillées font un héros

Alice, Maïka,
Xavier et Samuel
sont figés comme
des statues.
Le grincement
des pentures leur a
GLACÉ LE SANG !

De l'autre côté
de la porte, sur le
plancher, les quatre

amis remarquent
aussitôt une petite
pile de vêtements
oubliés.

— On dirait qu'ils
ont été déposés
là récemment,
remarque Maïka,
alors qu'elle se
penche pour les
ramasser. Il n'y a pas

de poussière dessus,
ajoute-t-elle.

— Ça veut dire
que quelqu'un ou
quelque chose
est entré ici il n'y a
pas très longtemps,
conclut Alice.

Lorsque Maïka
soulève les
morceaux de tissu,
elle pousse un petit
cri de peur et
les laisse tomber
à nouveau sur
le plancher.

Yiiiiiiiiiiii !

Entre les vêtements, elle a vu comme une sorte...

DE VISAGE QUI LA REGARDAIT !

Ses trois amis se penchent aussitôt au-dessus du tas de linge pour l'examiner.

310

— Ce n'est rien,
Maïka ! dit Xavier
pour la rassurer.
Ce n'est que le
masque d'un costume
d'Halloween oublié.

REGARDE !

Il y a un masque,
des vêtements,
des mains, et
C'EST TOUT.

Les yeux de Xavier
s'agrandissent tout
à coup.

— NON !

s'écrie ce dernier.
Ce n'est pas un
costume ! Vous avez
vu ce visage ?
C'est le visage
du petit chenapan

de la maternelle…
**C'EST LE VISAGE
DE ZACHARY!**

Les autres viennent
de le voir, eux aussi.

— **TU AS RAISON**!
confirme Alice,
qui vient de
comprendre.
C'EST UN COSTUME!

Le chef des poux
se déguise en petit
chenapan. C'est
comme ça qu'il
distribue ses poux
sur la tête des élèves.
Ça veut dire que
le chef des poux
est aussi grand
qu'un enfant de
la maternelle.

— **Ouais**, peut-
être... mais..., ajoute
Xavier, ça nous
prouve aussi que
nous nous dirigeons
vers son repaire.

Devant eux se
trouve un escalier
qui conduit dans les
profondeurs les plus
sombres de l'école.
Faisant preuve de
bravoure, les quatre
enfants décident
de l'emprunter.
Heureusement
qu'ils ont le iPhone

de leur enseignante pour s'éclairer. L'escalier aboutit enfin dans une grande pièce où une multitude de GUIRLANDES DE TOILES D'ARAIGNÉES pendent au plafond.

Le sol en terre humide est couvert de pots Mason.

— C'est comme chez ma grand-mère, dit Xavier. Elle conserve ses confitures et ses légumes marinés dans un sous-sol comme celui-là.

Sauf que les centaines de pots qui les entourent sont remplis de...
QUELQUE CHOSE DE NOIR, QUI BOUGE !

DES POUX !

Des millions de poux qui fourmillent dans les contenants.

Les quatre amis sont dégoûtés.

— Vous avez vu ? demande Xavier en montrant les pots. Avec autant de poux, le chef des poux se prépare à contaminer toute la ville, **C'EST CERTAIN**.

322

Soudain, une petite silhouette verte aux longues antennes et à la langue bleue apparaît dans le noir. Les enfants figent sur place. Ça ne peut être que le chef des poux. La silhouette court se cacher derrière

une colonne, puis
passe en coup de
vent près des quatre
amis. Apeurée,
Maïka se colle
à Xavier.

— C'est lui !
murmure Samuel
aux autres. **Mais
où est-il parti ?**

Soudain...

BLAM!

La porte en haut de l'escalier se ferme avec fracas.

— **ZUT !**

s'exclame Xavier, déçu. Il s'est enfui !

NON!

La sombre silhouette réapparaît dans le noir, les contourne, et va se cacher dans un coin du sous-sol où sont entassés de vieux caissons en bois pourri.

— Il ne veut pas que
nous quittions le
sous-sol, en déduit
Samuel. Le chef
des poux a barré

la porte pour
que nous ne
puissions pas sortir.

Immobiles, Maïka, Alice, Samuel et Xavier se sont mis dos à dos afin de mieux parer l'assaut imminent du chef des poux. Le iPhone en main, Alice éclaire les alentours avec la lumière du téléphone.

S'ils sont attaqués, ils verront sans doute approcher **la créature**.

Le silence qui règne dans le sous-sol leur fait penser à celui d'un **CIMETIÈRE LUGUBRE**, la nuit.

333

Un grognement et
un bruit sourd se
font tout à coup
entendre.

Grrrrrrrr!

SLACH!

Effrayés, Maïka,
Xavier et Alice se
collent les uns sur

les autres et se rendent compte que **SAMUEL A DISPARU !**

Une GRANDE FRAYEUR s'empare alors d'eux.

Maïka jette un regard en direction de l'escalier. Ils ont

peut-être **ENCORE** le temps de fuir et d'appeler la police. Mais avant qu'elle puisse faire un seul pas vers l'escalier…

Grrrrrrrr !
SLACH !

C'EST À SON TOUR DE
DISPARAÎTRE !

Dans le sous-sol, il
ne reste maintenant
plus que Xavier
et Alice.

Alice, d'un signe de la tête, pointe l'escalier. Près d'elle, Xavier a compris. Il est vraiment temps de changer de paysage, **DE FOUTRE LE CAMP !**

Alors que les deux amis s'apprêtent à faire un premier pas vers la sortie...

... le iPhone de madame Sarah tombe sur le sol

humide et éclaire maintenant le plafond. **LE CHEF DES POUX A AUSSI CAPTURÉ ALICE !**

Dans le sous-sol, il ne reste que le pauvre Xavier, le peureux, qui, de toute évidence, deviendra dans

quelques secondes
la quatrième victime
de cet IGNOBLE
chef des poux.

Mais le peureux de
TOUS les peureux
retient ses larmes.
La honte s'empare
tout à coup de lui.
Il a honte d'avoir
laissé cette créature

emporter ses amis sans l'avoir combattue et sans avoir essayé de les défendre.

Un curieux changement s'opère en lui. C'est comme si quelque chose venait de quitter son corps. **LA PEUR QU'IL AVAIT EN LUI A TOTALEMENT DISPARU !**

Maintenant, la rage s'empare de Xavier, qui scrute la noirceur autour de lui. Tantôt, il ne voulait pas rencontrer le chef des poux ; maintenant, il tient **ABSOLUMENT** à ce qu'il vienne à lui afin de le capturer.

Xavier laisse tomber
son bâton de hockey
cosom par terre ;
il n'en a plus besoin.
C'est à mains
nues qu'il veut
COMBATTRE
le chef des poux.

GRAOoooo!

Des frottements
de pas se font
soudainement
entendre. Le chef
des poux se dirige
VERS LUI.

Les deux poings
serrés, Xavier attend.
Curieusement,
il ne ressent pas
la moindre frayeur.

Dans le halo de lumière devant lui apparaît tout à coup le visage gluant du chef des poux. Les yeux brillants de la créature trahissent ses MAUVAISES INTENTIONS : capturer le jeune garçon et le donner lui aussi en pâture

à ses MILLIONS
DE POUX assoiffés
DE SANG.
La répugnante
créature lui fait
encore une fois
une grimace avec
son horrible langue
bleue, avant de
**SE JETER
SUR LUI !**

Chapitre 12

Je vais te faire mordre la POUssière !

Frappé violemment par le chef des poux comme s'il avait été heurté par une voiture, Xavier tombe lourdement sur le dos.

BAAANG!

Pour Xavier, le choc est terrible. Autour du pauvre garçon qui se tord maintenant de douleur sur le sol, le chef des poux danse et lève les bras en signe de **VICTOIRE**. Xavier n'a cependant pas dit son dernier mot.

353

Tandis qu'il tente de rouler sur lui-même pour s'éloigner, le chef des poux se met tout à coup à sauter sur son ventre comme s'il n'était qu'un vulgaire trampoline.

BOING !
BOING !
BOING !

Dans un geste de
désespoir, Xavier
saisit le pied de son
adversaire. Il réussit
alors à le tourner
et, à son tour, fait

lourdement chuter
la créature sur le sol.

BAAANG!

Vif comme l'éclair,
le chef des poux se
redresse et se met
à fixer Xavier d'un
regard haineux.

Le garçon prend
alors une position
défensive, car il sait
que la répugnante
créature va foncer
ENCORE sur lui.
Ses deux antennes
se déroulent et
se DRESSENT
dangereusement
vers Xavier.

Comme un taureau
furieux, le chef
des poux s'apprête
à transformer
le jeune garçon
EN BROCHETTE!

Il grogne **ET FONCE**
sur l'enfant!

GRAOUuuu!

Maintenant pris en souricière dans un coin, Xavier sait qu'il ne peut pas éviter cet ASSAUT. Alors qu'il baisse la tête pour se préparer à la collision, il aperçoit à la dernière seconde le iPhone de madame Sarah

à ses pieds. Le chef
des poux n'est
plus qu'à quelques
mètres de lui.

Voyant qu'il a peut-
être encore une
chance de gagner
la bataille, Xavier
ramasse rapidement
l'appareil et dirige
le jet de lumière

DIRECTEMENT
dans les yeux de la
créature. Aveuglé
par la lueur vive,
le chef des poux
s'arrête net, juste
devant Xavier.
Voilà pour le jeune
garçon **l'ultime**
chance de riposter.
Xavier soulève alors
son pied et frappe

très fort, avec son talon, **LE SEUL ORTEIL** du pied droit de la créature.

PAAAF !

Grimaçant de douleur, le chef des poux se tord maintenant sur

le sol crasseux.
Voyant l'occasion
de neutraliser une
fois pour toutes son
adversaire, Xavier
attrape la queue
du chef des poux et
l'attache au tuyau
en faisant un gros
nœud **TRÈS** serré.
Incapable de se
dégager, la créature

s'agite et se tortille
en vain. Xavier a
vaincu **LE CHEF
DES POUX** et
l'a capturé
TOUT SEUL !

VICTOIRE !

Chapitre 13

POUding!
C'est la fin
de la journée
d'école!

Dans l'escalier
apparaissent tout
à coup plusieurs
faisceaux de
lampes de poche.
DU RENFORT !

Ce sont des policiers,
matraque en main.
Ils aperçoivent
aussitôt Xavier,

essoufflé et couvert
de saleté. Ils
s'approchent de lui.

**— ÇA VA,
MON GARÇON?**
lâche le premier
policier arrivé
au sous-sol.

Plusieurs autres
agents apparaissent

pour sécuriser
les lieux.

— **Oui,** ça va,
monsieur l'agent !
finit par répondre
Xavier.

Le policier remarque
alors le chef des
poux, attaché par la
queue au long tuyau.

La créature grimace
de dédain.

— MAIS C'EST
QUOI, CETTE
BIBITTE
GÉANTE ?
demande-t-il en
braquant sa lampe
sur le prisonnier.

371

— C'est le chef
des poux, monsieur !
lui répond fièrement
le garçon. C'est à
cause **DE LUI** que
les enfants de l'école
ont des poux. Il y a
un chef des poux
semblable à lui
dans chaque école.
Vous devez à tout

prix prévenir
les autres directeurs,
et vite.

— Je vais faire ça
TOUT DE SUITE,
mon garçon ! lui
assure le policier
en décrochant
son walkie-talkie
de sa ceinture.

— ILS PEUVENT AUSSI PRENDRE UNE FORME HUMAINE EN SE DÉGUISANT !

précise ensuite Xavier. **ALORS, ATTENTION !**

Le policier fait oui de la tête, il a compris.

—ATTENTION À TOUTES LES UNITÉS ! dit-il pour commencer dans son walkie...

Maïka, Samuel et Alice, qui ont été libérés par d'autres agents, accourent vers Xavier.

— **VOUS ÊTES EN VIE** ! lance celui-ci, réjoui et au comble du bonheur.

Ses amis lui sourient et lui font l'accolade.

— **NOUS AVONS RÉUSSI** ! s'exclame Maïka.

— YEP !

ajoute Xavier.
Et j'ai capturé
le chef des poux.

Ses trois amis
aperçoivent à
leur tour le **GROS**
insecte attaché au
tuyau par la queue.

— C'EST TOI QUI AS FAIT ÇA ? demande Alice, étonnée. Tu n'as pas eu peur ?

— PEUR ? répète Xavier en feignant de ne pas comprendre. Je ne connais pas ce mot, **MOI**.

FIN

GLOSSAIRE

Arsenal : plusieurs armes.

Comissionnaire : chargé de faire les commissions.

Diagnostic : résultat d'un examen médical.

Effectivement : réellement, vrai de vrai.

Fouillis : désordre.

Haineux : qui exprime de la haine.

Imminent : proche, prochain.

Louche : qui n'inspire pas confiance.

Maladive : qui est souvent malade.

Nonchalante : indifférente, sans expression.

Quarantaine:
isolement, mettre à part.

Renfort : de l'aide.

Respective : qui
concerne chaque
personne.

Riposter: répliquer.

Ultime : dernière.